DATE DUE

SEP 2 9 06
NOV 6 '06
APR 9 '07

JUL 5 '07
JUL 30 '07
JUL 2 9 '09
NOV 2 7 '09

SEP 1 4 2010

SEP 3 0 2010

MAR 0 8 2012

W9-AYP-572

Una tarde monótona y gris en que me aburría, mi imaginación, aparentemente molesta por ser ignorada, se tomó unas vacaciones..., y nunca volvió. Había perdido lo que el poeta Wordsworth llamó mi "mirada interior". La había perdido o dejado por ahí en algún lugar del mundo natural.

¿Qué iba a hacer yo, un artista? ¿Cómo iba a trabajar, a pintar, a vivir?

Traté de asirme a fragmentos de memoria, pero nunca fueron suficientes. Los recuerdos son como un sombrero viejo, amigo mío; la imaginación, zapatos nuevos. Cuando has perdido tus zapatos nuevos ¿qué más queda por hacer sino ir a encontrarlos?

El Último Refugio

El Último Refugio

Roberto Innocenti

J. Patrick Lewis

FONDO
DE CULTURA
ECONÓMICA

Libros del Rincón

SECRETARÍA DE
EDUCACIÓN
PÚBLICA | SEP

Sistema de clasificación Melvil Dewey DGMyME

808.068
L39
2004   Lewis, Patrick
       El último refugio / J. Patrick Lewis; ilus. Roberto Innocenti;
       trad. de Andrea Fuentes Silva. — México : SEP : FCE, 2004.
       48 p. : il. — (Libros del Rincón)

       ISBN: 968-01-0541-5 SEP

       1. Literatura infantil 2. Cuento I. Innocenti, Roberto. il. II. Fuentes Silva,
       Andrea, tr. III. t. IV. Ser.

Título original: *The Last Resort*

© Roberto Innocenti, ilustraciones, 2002
© J. Patrick Lewis, texto 2002
Publicado por Creative Editions,
123 South Broad Street, Mankato, MN 56001 EUA

D.R. © Fondo de Cultura Económica, 2003

Primera edición SEP / Fondo de Cultura Económica, 2004

D.R. © Fondo de Cultura Económica, 2004
       Av. Picacho Ajusco, 227, Col. Bosques del Pedregal,
       14200, México, D.F.

D.R. © Secretaría de Educación Pública, 2004
       Argentina 28, Centro,
       06020, México, D.F.

ISBN: 968-16-7423-5   FCE
ISBN: 968-01-0541-5   SEP

Prohibida su reproducción por cualquier medio mecánico o
electrónico sin la autorización escrita de los coeditores.

Impreso en México

DISTRIBUCIÓN GRATUITA–PROHIBIDA SU VENTA

El último refugio
se imprimió por encargo de la Comisión Nacional de
Libros de Texto Gratuitos en los talleres de Impresora y
Encuadernadora Progreso, S.A. de C.V. (IEPSA),
Calzada San Lorenzo núm. 244; 09830, México, D.F.,
en el mes de noviembre de 2004. El tiraje fue
de 152 541 ejemplares más sobrantes para reposición.

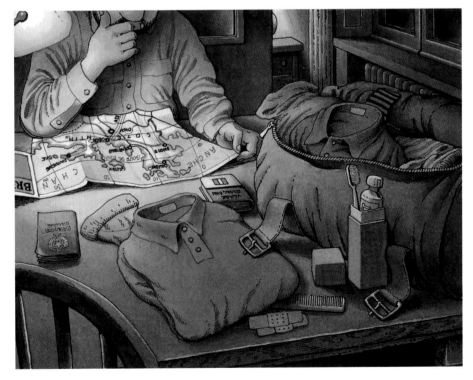

J51154

Guardé mis pinceles y caballetes, empaqué mi maleta y cerré

con llave mi pequeña casa. Éste sería el nuevo día de mi

destino. A pesar de que yo no tenía idea de cómo o por qué,

mi Renault rojo parecía conocer el camino. Circulaba por una

transitada avenida hacia la VILLADEQUIENSABEDONDE cuando

el auto viró súbitamente por un sendero tan largo como la

soledad, pasamos por un despeñadero más allá del olvido en medio de una relampagueante noche.

Al fin, mi Renault se detuvo al pie de un extraordinario hotel al lado del mar.

—Disculpa, muchacho —le dije al peculiar joven que
estaba en la puerta—, ¿pero en qué lugar del mundo estoy?

Su rostro reflejaba el resplandor de un libro de magia
práctica, y dijo:

Buenas noches, forastero. El loro tiene para usted una

reservación en Litrachoor,

donde las respuestas danzan con signos de interrogación

para que usted pueda encontrar la cura.

Su habitación le espera, caballero.

Deje todo atrás.

Éste es El Último Refugio, para aquellos que han perdido

una parte de su alma.

—Gracias, muchacho —dije, sin saber quién era o de qué hablaba. Él sonrió, señalando con la cabeza hacia la puerta. Tan pronto como la abrí, un pájaro que hacía de recepcionista graznó:

—Peregrino, firme por favor el registro de huéspedes. Nuestra camarera lo llevará a sus aposentos.

Miré con atención las firmas en el libro de huéspedes. ¿Qué hacían estos sujetos aquí? ¿Y qué estaba *yo* haciendo aquí?

Mi habitación era un tributo a la comodidad. Terminé una cena de reyes y sorprendido ante lo extraño que era todo,

me metí en la cama satisfecho y con un libro, escalando así el borde de los sueños aun antes de que el mar se hubiera apaciguado.

Pero justo cuando empezaba a adormecerme, recuerdo haber escuchado un fuerte golpeteo en la escalera.

—¡Hace crujir la duela! —gritó el loro a la mañana siguiente—. Un tipo extraño en verdad. Entra con su pata de palo, firma el libro de huéspedes con un par de huesos cruzados y sube las escaleras con su pierna buena y su malaventurada pata de palo. ¿Qué le parece? Por cierto —continuó parloteando el pájaro recepcionista—, todos nuestros huéspedes van tras un extraño encantamiento. ¿Cuál es ese extraño encantamiento en ti, viajero?

¿Extraño encantamiento? Debo admitir que desde que mi imaginación se había fugado, me había vuelto tan soso como un tarro de pegamento, pero aun así… *Hable, Señora Caprichosa*, pensé exasperado. *¡Diga algo!*

"Todo a su tiempo, señor", me guiñó el loro, como si hubiese leído mis míseros pensamientos.

Mientras me disponía a dar un paseo, me sorprendí deseando que hubiera algo realmente inusual en mí, algo único. Pero, ¿qué podría ser?

En el muelle, el muchacho que había conocido la noche anterior estaba pescando… ¿mensajes? Su canción marina era encantadora.

Ni otras tierras,

ni otras vidas,

ni otros amores para mí,

que las mágicas tierras,

y vidas y amores

de las historias que pescando conseguí.

Qué chico tan afortunado, pensé, por haber encontrado lo que estaba buscando. Pero, ¿acaso la imaginación puede ser embotellada como una limonada?

Aquella alegre tonada no abandonaría mi cabeza. Tarareando el estribillo regresé al hotel, donde vi al cuarto huésped del albergue: una joven delicada y enfermiza, en

blancos olanes, acompañada de su enfermera.

Más extraño todavía era el señor Gris Grisáceo. Una habitación en blanco y negro armonizaba a la perfección con su opacidad. Cuando el pájaro recepcionista le preguntó cómo pensaba pasar el tiempo, el hombrecito respondió:

—Escribiendo cartas extraordinarias —algo tramaba, eso era seguro, y se dispuso a trabajar inmediatamente.

El chico pescador estuvo ausente durante el almuerzo, pero los otros cinco huéspedes, incluyéndome, recibimos al silencio con

agrado, cada uno ensimismado en su propio ocio. ¿A qué nos anticipábamos? ¿Los tiempos, las aguas, las maravillas por venir?

En las horas de brisa después de la comida, blancos y azules vestían el cielo. La luz del sol se aferraba a la playa para no dejarla ir. En su toldo de mimbre, la frágil dama fatigaba al sol con su lectura. La curiosidad me atrapó y eché un vistazo al libro que sostenía, pero sólo alcancé a leer *La si…* Sus murmullos, arrastrados por el viento, me recordaron un cuento que escuché cuando era niño.

Soy la novia de las olas, soy la dama del mar.

Algún día, con el hombre al que rescate, me habré de casar.

Una noche, con mi ropaje marino, él me encontrará,

y, hechicera del mar, tendré todo y él me abrazará.

Al tiempo que el sol daba paso a la luna, la noche continuó extraña. El marinero cojo, tambaleándose y con paso lerdo, cavaba y cavaba sin la menor suerte.

Pondré mis ojos en el tesoro, Jim Hawkins,

encontraré un mapa que me llevará ahí

Lo juro por la deshonra de un pirata de negro corazón,

El deber es el deber. Mi parte es tu parte.

Más adelante cavó en otro lugar, también en vano, y todo el tiempo era observado por un extraño hombre salido del lejano oeste, en busca de su propio camino en el mundo, o así parecía por el aspecto de *su* mapa enrollado.

En las breves horas previas al amanecer, escuché al hombre alto gritarle al marinero:

—¡Ese mapa suyo no sirve, capitán. Yo tengo el verdadero. Aunque lo que estoy buscando es a una dama pálida vestida de blanco. Ella me salvó la vida una vez. Si puede decirme dónde encontrarla, mi mapa es suyo!

—Hablas muy seguro, Rodeo. Y, por todos los rayos, he estado cavando la mitad de la noche —dijo dubitativo el marinero—. Pero este mapa que tengo es el del propio Bill Bones. Confío en que me guiará hasta el tesoro antes de que la marea vuelva a subir.

¡Debo poner más atención! Pensé. Si tan sólo pudiera descifrar los planes de estos extraños, quizá sería capaz de recuperar las figuraciones de mi propia imaginación. Pero como no podía depender de ella, necesitaba ayuda para juntar las piezas.

Como si fuera su turno de entrar en escena, la policía llegó al albergue sin anunciarse. Quizá el rechoncho Inspector pudiera resolver estos extraordinarios casos. Parecía que aquí todos estaban buscando algo. Y que algo se les escondía a todos. ¿A dónde llevaría la enmarañada trama de tantos misterios?

El Inspector lo puso en claro de manera vaga:

Todos los huéspedes están bajo sospecha,

¡pero bajo sospecha de qué?

Ah, ése es el singular propósito de mi misión:

conectar el EN CASO DE *con el* Y *o con el* PERO.

De repente, ¡las ventanas comenzaron a temblar! Afuera,

J 5 1 1 5 4

las gaviotas chillaron y los frailecillos se apartaron ante el estrepitoso gimoteo de un biplano que se aproximaba.

El sonido del ala que se rompía desgarró el cielo, y el avión se estrelló en la arena.

Ileso, el piloto atravesó la duna sin dificultad.

—Acaba de llegar otro más para un vuelo de fantasía —graznó el pájaro recepcionista, como si lo hubiera estado esperando.

Mientras esa escena llegaba a su fin, el Inspector se encontraba en el café del albergue, sumido en profunda reflexión. Irresistiblemente atraído por el aroma del pollo asado, se aventuró hacia el patio exterior, donde un peculiar caballero inglés de la época georgiana estaba posado cómodamente ¡en lo alto de un árbol!

Mon Dieu, pensó el Inspector, *¡ahora ya lo he visto todo!*

—¿Qué travesura se trae entre manos, espía del cielo? —preguntó.

Golpeteando impaciente su zapato de hebilla contra una rama, el caballero respondió:

No me preste atención, señor, nunca me haga caso,

sentado aquí arriba, sobre mi árbol de firme arraigo.

La vida en la tierra, por definición,

se vuelve barullo y perturbación.

Aquí, donde el aire gobierna,

hay mucho menos escándalo y más diligencia.

Con los pájaros y las nubes, desde aquí yo podría espiar

al caballero del molino de viento, mi héroe sin par.

¿Caballero del molino de viento? Confundido, el Inspector lo miró hasta que el tabaco de su pipa se apagó.

¡Imaginen el problema que tuve interpretando todas estas rarezas! El Inspector, siguiendo de cerca al marinero que cavaba en vano;

la enfermera empujando a la joven inválida hasta el final del muelle… ¡y adentro! Su otra compañera, la luna, dándole la bienvenida

al mar. Y *La si…*, amante de los libros, devolviéndole el favor retozando entre las olas tan naturalmente como un… *¡pez?*

Ah, no debo hastiarlos con todos los minuciosos detalles de una enmarañada historia que pueden imaginarse. Yo me entregué con dulzura al sueño, reconfortado por la esperanza de que mi nómada imaginación se removiera suavemente bajo mi almohada. Tal era el efecto de este albergue fascinante; quizá un nuevo amanecer me permitiría desentrañar las intenciones de sus huéspedes —pensé—, además de encontrar lo que yo mismo buscaba en este lance.

La mitad de la noche soñaba
que un arpa irlandesa me deleitaba.
La otra mitad, tengo que decirlo
quedó bajo el embrujo de cánticos marinos.

Mientras tanto, el hombre alto del misterio tropezó casualmente con su joya de mar, después de todo y sin la ayuda del capitán. La joven de blanco era más importante para él que cualquier tesoro escondido. Al mismo tiempo, el incansable capitán por fin encontró la ruta a sus propias riquezas.

A la mañana siguiente, la vida misma representó la más hermosa de las sagas marinas, ahí mismo ¡en la playa!

—¿Es aquella ballena blanca que espera que suba la marea quien creo que es? —pregunté al aviador.

—*Mais oui* —dijo—. ¿Quién más podría ser?

El bobo capitán Ahab encalló tratando de cazarla.

Más tarde, en la biblioteca, el pájaro recepcionista graznó:

—Ey, mis fieles imaginadores, nuevas llegadas a diario. Los cuartos deben ser desocupados.

Y así fue como algunos de los huéspedes, una vez terminada su búsqueda, partieron por un camino empedrado hacia la fortuna o la perdición, mañana o ayer, ¿quién podría decirlo?

Al fin, el éxito se topó con el marinero pata de palo. O él lo había encontrado con su mapa nuevo, zarpando hacia El Dorado con la marea de medianoche. ¿Estaba buscando oro y plata? ¿Doblones españoles? ¿O algo infinitamente más valioso?

Uno tras otro, los huéspedes de El Último Refugio parecían encontrar la satisfacción que todavía se me escabullía.

Aún no había amanecido cuando el aviador también partió hacia nuevas tierras. Por medios que escapan a mi entendimiento, su averiado biplano había sido reemplazado por un sólido Lockheed P-38; el mismo modelo que el chico pescador había armado, la tarde anterior, en la biblioteca. Con un leve zumbido, el avión se deslizó hacia el todavía dormido sol.

Como contrapunto a la majestuosidad de aquel gran vuelo, allí, en la terraza del albergue, otro espectáculo se desplegaba.

Es una rara ocasión ver que alguien encuentra por fin sus colores verdaderos. Pero eso fue exactamente lo que le sucedió al señor Gris Grisáceo.

—¡No tiene sentido! ¡Es pura palabrería! —el Inspector gruñó para sí—. Gris Grisáceo debe haber usado un código secreto, excepto por aquel título: ¡Autobiografías de los peores crímenes! ¡Ajá! Un caso mayúsculo, ¡he encontrado a mi hombre!

Esposado, el ahora colorido hombrecito dijo:

—No soy un criminal. Soy un actor por contrato quien, tristemente, ha perdido su espectro de emociones. Pero, por naturaleza, soy un verdadero orfebre de las palabras. Juego con ellas. El título críptico Autobiografías de los peores crímenes se me ocurrió una noche, mientras dormía, y he estado buscándole sentido hasta el día de hoy. Ese título también dice: Es peor si la foto grande obscura es mía. Las mismas letras, diferentes palabras: ¡un anagrama!

—¿No lo ve usted, señor? —preguntó Gris Grisáceo—. No sólo soy una foto gris. Al menos ya no. El Último Refugio fue mi último refugio, mi inspiración.

¿Cómo podría el Inspector, un viejo sentimental, albergar sospechas de un hombre con flores en el sombrero? Además, al darse cuenta que los huéspedes del albergue eran bastante capaces de resolver sus propios casos, podía ver que sus servicios ya no eran necesarios. Y así, a manera de despedida, el policía puso en libertad al diminuto actor, pero no pudo resistir brindarle este pequeño consejo para su próxima película:

Adiós y buena suerte
Señor verdeazultransparente.
Yo actuaría de mí
si fuera usted en cuerpo y mente

La tarde florecía cuando divisé a la recién llegada, paseando por la playa. Meditando en secreto una copla, susurró, como si hablara de El Último Refugio:

Nos detuvimos ante una casa que parecía

Una extensión del suelo—

¡Ah! Estaba deleitado de oírla recitar. Siempre he creído que los poemas ruegan por ser leídos en voz alta, incluso si quien lee vive en su propio mundo.

Y qué feliz me hizo saber que al caballero del árbol su catalejo no lo había traicionado.

—¡Es él, te digo, es el caballero del molino de viento! —gritó—. ¡Puedo verlo sobre su huesudo rocín, Rocinante, y a su escudero balancéandose sobre su burro pardo!

Al fin y después de todo, atrapé un destello de mi caprichosa imaginación.

—Quizá este intrépido hombre de La Mancha ha venido hasta El Último Refugio sólo para descansar y renovar su valentía —repuse.

—Eso sería muy conveniente —dijo el chico pescador, quien se había adelantado para echar un vistazo a los viajeros distantes—. Encontré este pedacito de nota que el orfebre de las palabras garabateó:

Se irá al último albergue equivale a Él seguro libera tu alma.

Ese sí que es un anagrama elegante, apropiado también para ese atormentado caballero del molino de viento.

❀

Para hacer lugar a los recién llegados, empaqué mi maleta y me preparé para emprender la partida. Al llegar a los escalones de la entrada, el loro apareció en su percha.

—Antes de que digas adiós, peregrino —me llamó—, veamos lo que sabes. El señor Grisáceo olvidó esta lista de palabras. Dime cuál otorgarías a cada uno de nuestros agradables huéspedes: "Vida, amor, verdad, aventura, color, fortuna, maravilla, heroísmo, valentía, sentido".

Entonces, mientras miraba hacia el lugar donde el horizonte bebía el mar, las respuestas vinieron a mí con toda claridad. ¡Todo el tiempo, buscándose a sí mismos, los huéspedes en El Último Refugio me habían mostrado el camino hacia mi propio descubrimiento!

El chico pescador pescaba para maravillarse.

La niña inválida leía por la vida.

El marinero cojo cavaba por fortuna.

El orfebre de las palabras escribía por color.

El Inspector cazaba significados.

El hombre alto buscaba el amor.

El aviador volaba por la aventura.

La poeta meditaba sobre la verdad.

El hombre en el árbol buscaba héroes.

El caballero del molino de viento deseaba valentía.

En una palabra, todos ellos habían sembrado curiosidad Y cosechado imaginación.

—¿Por qué presiento que has acertado con todas! —graznó el pájaro recepcionista—. Pero todavía hay algo que necesita ser escrito en el libro de huéspedes, junto a tu nombre, ¿recuerdas? No has estado soñando todo este tiempo, ¿o sí?

Miré hacia el hotel por última vez, y pude ver un vasto sendero dentro de mí ¡como si yo fuera aire puro!

—Escribe que aquí encontré lo que más aprecio: el encantamiento perdido por el que preguntaste. Y que es la habilidad de hacer real lo que la mente sólo imagina.

Mientras mi Renault rojo me llevaba de vuelta a casa, me
encontré, una vez más, de entre toda la gente... al chico
pescador, ¡con su mochila y su sombrero! No pude saber con
certeza cómo había llegado ahí antes que yo, así que dejé que
mi imaginación galopara.

—Sube, muchacho —dije alegremente—. ¿Hacia dónde te
diriges?

—Con suerte, hacia aquí, señor —me respondió— dado
que usted está encendido como centella debido a su gran

redescubrimiento del descubrimiento allá en el albergue,
¿le importaría si lo acompaño para ver a dónde podría
llevarnos el camino? Si tan sólo pudiera encontrar a ese tipo,
el escritor que sigo imaginando —Clemens, o Twain, como
algunos lo llaman— creo que quizás puedo presionarlo para
que me dé un gran comienzo en una nueva aventura.

—Excelente idea, muchacho —le dije—. Ahora bien, hacia allá, a la izquierda, es donde vivo. Pero sugiero que demos vuelta a la derecha, hacia la Villadequiensabedonde. ¿Qué dices a eso?

—Me parece bien, Señor Pintor —respondió el chico pescador—, donde quiera que los ríos lleven miel. Reconozco que usted tiene la suficiente inspiración para que sigamos navegando hasta que el camarón aprenda malabares.

—Así es —dije.

—Entonces vayamos a donde la gente recibe los milagros con un guiño, un asentir de cabeza y un secreto apretón de manos.

Y así lo hice.

Fin

Epílogo

Una de las grandes maravillas de las historias es que son leídas de distintas maneras por diferentes lectores. ¿Quiénes son los personajes "reales" en El Último Refugio? Aquí hay algunas respuestas. Pero tal vez ustedes puedan pensar en otras que se adecuen igualmente a estas imágenes y palabras.

Por orden de aparición

El chico pescador: Huckleberry Finn es el indomable joven pícaro, cuya vida en Mississippi se cuenta en Huckleberry Finn de Mark Twain, seudónimo de Samuel Langhorne Clemens (1835-1910). "Hay un momento, en la vida bien construida de todo niño", dijo Twain alguna vez, sin duda hablando de Huck, "en el que tiene un deseo incontenible de ir a alguna parte y cavar en busca de un tesoro escondido."

El marinero cojo: Aquel viejo lobo de mar, Long John Silver, el tosco líder de los amotinados en La isla del tesoro de Robert Louis Stevenson (1850-1894), era cojo, convenenciero e irascible. Silver también fue en algún tiempo cómplice del joven Jim Hawkins, el grumete de La Española.

La joven inválida: Hans Christian Andersen (1805-1875) escribió la agridulce historia La sirenita. En la historia de Andersen, la hija del rey mar rescata a un joven príncipe de un naufragio y se enamora de él. Ella le suplica a la Bruja del mar para que convierta su cola de pez en un par de piernas. El pacto se realiza, pero a un horrible precio: además de que le resulta terriblemente doloroso caminar con sus piernas, la bruja, como pago, le corta la lengua, dejándola muda. El joven príncipe la trata con gran afecto, pero al final se casa con otra. La sirena se disuelve en la espuma, pero su espíritu permanece como "hija del aire".

El orfebre de las palabras: Peter Lorre, nacido en Hungría (1904-1964), alcanzó renombre en Hollywood en los años treinta y cuarenta con memorables

representaciones. Charlie Chaplin lo llamó "el mejor actor vivo". Durante los cuarenta, la cacería de brujas anticomunista en los Estados Unidos llevó a los agentes federales a la casa de Lorre. Le preguntaron si conocía o no alguna persona sospechosa. Él respondió diciendo los nombres de todas las personas que conocía. Después de eso lo dejaron en paz.

El extraño hombre alto con misterioso pasado: Extraño, ciertamente. ¿Quién podría ser? ¿Un vaquero surgido en la mente de Zane Grey (1875-1939), el novelista de aventuras del oeste? A pesar de su apariencia, posee el atractivo de Edmond Dantés, el joven marinero también conocido como el Conde de Montecristo, en una novela del mismo nombre, de Alejandro Dumas, padre (1802-1870).

El policía: El insuperable Inspector en Jefe Jules Maigret, de la Policía Judicial de París, héroe de las 75 novelas y 28 relatos cortos; 103 episodios de lo que ha sido llamada la "Saga Maigret", escrita por George Simenon (1903-1989). El Inspector Maigret es tan reconocido en Francia como Sherlock Holmes es en Inglaterra. Ambos tienen reputación mundial.

El aviador: Antoine de Saint-Exupery (1900-1945) murió en un avionazo dos años después de que su famoso libro, EL PRINCIPITO, fuera escrito. Debe haberse referido a la imaginación cuando escribió: "Una pila de rocas deja de ser una pila de rocas en el momento en que un hombre cualquiera la contempla, llevando dentro de sí la imagen de una catedral".

El hombre en el árbol: Es Cósimo, de la novela
EL BARÓN RAMPANTE de Italo Calvino. Caballero del
siglo XVIII que se rebela ante la autoridad familiar, un día
Cósimo trepa a lo alto de un árbol y nunca vuelve a bajar.
Se adapta espléndidamente a su arbórea existencia: cazando,
jugando con las criaturas de la tierra, apagando incendios
en el bosque e incluso se las ingenia para enamorarse.
Pero el hombre del árbol es también cualquier persona
en el mundo que nunca se ha sentado en el borde de su
asiento esperando a que algo excitante suceda.

La ballena blanca: No es otra que la gran bestia en
MOBY DICK de Herman Melville (1819-1891). El Capitán
Ahab, del ballenero *Pequod*, era un hombre poseído. Su
pierna artificial no era de madera sino de hueso de ballena,
y su único objetivo en la vida era cazar a la ballena blanca
y matarla. Al final, cae víctima de su propio odio que todo
lo consume.

La poeta: "Nos detuvimos frente a una casa que
parecía / Una extensión del suelo" son las palabras de
Emily Dickinson (1830-1886). Ahora reconocida como
una de las más grandes poetas de todos los tiempos –y una
de las más ricas imaginadoras–, durante su vida, sólo pudo
ver un puñado de sus poemas publicados. "Di toda la
verdad pero dila de soslayo" —escribió—. "La verdad debe
deslumbrar gradualmente, o todos los hombres se
quedarían ciegos". Qué raro que lleve el pelo suelto en
EL ÚLTIMO REFUGIO. Esto debe haber sido antes de que
decidiera vestirse siempre de blanco.

El par del molino de viento: Don Quijote, el hombre
de La Mancha, y su leal escudero, son los dos personajes
principales en la novela Don Quijote de Miguel de
Cervantes Saavedra (1547-1616). Al excéntrico Quijote,
quien tenía mucho más que "una pizca de encantamiento
extraño", nunca le faltó imaginación. Alguna vez trabó
combate con molinos de viento a los que confundió con
gigantes.

El pintor: Yo, Roberto Innocenti, soy el pintor, y este es
mi relato de imaginación perdida y encontrada.